युगभारती

(काव्य संग्रह)

महेन्द्र कुमार मध्देशिया

रोहिणी, दिल्ली –110089

पहला संस्करण : 2020

ISBN : 978—93—89984—26—2

प्रकाशक
प्रखर गूँज प्रकाशन
एच — 3/2, सेक्टर — 18 ,
रोहिणी, दिल्ली —110089
011-27851059, 7982710571, 7838505899

शब्द संयोजन एवं आवरण : प्रखर गूँज प्रकाशन

Yugbharti
Collection of poems by
Mahendra Kumar Maddheshiya

Published by
PRAKHAR GOONJ PRAKASHAN
H-3/2, Sector-18, Rohini
Delhi – 110089
Email : prakhargoonj@gmail.com
         sinha.neelu123@gmail.com
011-27851059, 7982710571, 7838505899

क्रम तालिका

भारती वो माँ भारती

भारती वो माँ भारती
तुम्हें मेरी कलम पुकारती।

श्रम के सीकर को सफल कर दो
माँ उसमें बूँद अमर भर दो

विषाद को पी जाये वह
कृपा जरा सत्वर कर दो

त्रास होकर गिर गया कहीं
क्या होगा जग का माँ भारती।

जिस मिट्टी पर जन्म लिए हम
उसकी यही एक अभिलाषा है

नदी से लेकर सागर तक का
हर बूँद मातृभूमि का प्यासा है

शान्ति ध्वज लहराता रहे
गीत बन्धुत्व का आता रहे

पग पग सार्थक कर दो माँ भारती।

नाव हैं हम

अथक प्रयास

जीवन हर्षोल्लास

खुशी से गुजरती शाम है

नाव हैं हम

बहना हमारा काम है।

आगे चलकर

जो पदचिह्न छोड़ जाते हैं

मानता हूँ सरल हो जाता है

उस पर चलना

किन्तु नकलची हम हो जाते हैं।

क्यों न हम

स्वयं की नीति अपनायें

ताकि गर्व से कहें

मेहनत से हासिल मुकाम है

नाव हैं हम

बहना हमारा काम है।

मैं नहीं कहता

नाव रुकती नहीं

रुकती है

____

(10) महेन्द्र कुमार मध्देशिया

एक प्रारम्भ सही

दूसरा बिन्दु अन्तिम सही।

बीच में जो रुके

वो नाव नहीं काठ है

नाव हैं हम

बहना हमारा काम है।

कुछ और लिखूँ

मैं लेखनी रख देता हूँ

शब्दों को स्मरण

ओत – प्रोत आहत हृदय वेदना को

प्रकट करना बन्द कर देता हूँ

तब उर मुझसे कहता है

कुछ और लिखूँ।

अश्रु कण जब नीर बनकर

निरूपाय बहते हैं

मिथ्या आरोप जब निष्ठुर मानव

किसी पर अनायास लगाते हैं

तब कॉल मुझसे कहता है

कुछ और लिखूँ।

ज्योति चुम्बित भारतीय वसुधा पर

जब गरल दन्त मानव उपजते हैं

दुरित जीवन से अपने

कलंकित करने की चेष्टा करते हैं

तब वतन मुझसे कहता है

कुछ और लिखूँ।

पथ पर चलते – चलते

(12) महेन्द्र कुमार मध्देशिया

न जाने किस तिमिर में
मेरे पैर फस जाते हैं
स्वप्न – शतदल पुष्प
जब अनायास मुरझा जाते हैं
तब मेरी माँ मुझसे कहती है
कुछ और लिखूँ।

बादल में पानी नहीं

प्राची से उठ चला है आँधी

वहाँ से सारी विहंगम भागी

गर्जन किया बादल ने जोर – जोर से

देख डर गए महाबली हाथी

किसी ने एक बात कही

कि बादल में पानी नहीं।

पानी होते तो बूँद गिरते

केवल डरावनी आवाज न होते

इन बादलों का ठिकाना क्या

आज यहाँ तो कल न जाने कहाँ होते

लगता है इनके हृदय में नेह नहीं

कि बादल में पानी नहीं।

विशाल पर्वत स्थिर रहे

आँधियों से भी न डरे

आह्वान करते रहे संघर्ष का

किन्तु कुछ हुआ नहीं

वे भी सोचने लगे

कि बादल में पानी नहीं।

सत्य यह है

उसे जब बरसना होगा

ऐसी हरकतें न करना होगा

जल को अपने डाल खेत में

किसानों को प्रसन्न करना होगा

नहीं तो वे भी कहेंगे

कि बादल में पानी नहीं।

है कठिन पथ

है कठिन पथ रखना यह ध्यान

जीवन है एक महासंग्राम

विघ्नों से केवल कायर डरते

सच्चा पथिक कभी न करता आराम

देख सूरज की किरणों को

मत डर अन्धेरों से

जीवन का यह अटल सत्य है

और ईश्वर का है ये कलाम।

एक मंजिल का छूट जाना

दूसरे पड़ाव का रुकावट मत मान

जिस दिन यह समझ जायेगा

होगा तू एक पुरुष महान

देख जग में अनेक ऐसे नमूने हैं

जो बाँध लिए रत्न – हिलोरों को

दिन दुगुनी रात चौगुनी

बढ़ता रहा उनका सम्मान।

दूसरों की योग्यता का न करो अपमान

अन्यथा होगा बुरा परिणाम

सच्चा मानव वही है

---

(16) महेन्द्र कुमार मध्देशिया

जो पूरा करे गैर अरमान

भयदायनी आवाज से मत घबराओ

अपने हृदय के डर को मार भगाओ

अन्यथा हो जाओगे जीवन में

पूर्ण रूप से नाकाम।

जिस पर दुनियां हसता है

वही एक दिन इतिहास रचता है

जीवन में संघर्ष करके

एक सफल व्यक्ति बनता है

जग कुछ न कुछ कहेगा ही

पथ में तेरे अड़चन बनेगा ही

किन्तु एक बात सदा ध्यान रखना

मरे हुए स्वन को कौन लात मरता है।

मर जाते हैं वे

मर जाते हैं वे

जो किस्मत आजमाते हैं

समन्दर में डुबकियां

गोताखोर लगाते हैं।

मैं नहीं कहता

कि वे डर गये हैं

पर सच यह है कि

वे मर गये हैं

गहराई की जिज्ञासा है जिनमें

वह क्या जाने पाषाण – सूल

मनुष्य तो वही है

जो परिस्थिति को करें अपने अनुकूल।

पैर टिके न टिके

स्वयं को टिकना होगा

आज फिर हमें

भविष्य का आधार बनना होगा

उठो, जागो एस बार फिर से

सृष्टि का निर्माण करें नयें सिरे से।

हे! भविष्य के आधार

मनु के सन्तान

अब तो अपनी गरिमा को पहचान।

चारो ओर त्राहि – त्राहि मची है

मानवता की सेज सजी है

प्रकाश नया फैलाना होगा

स्वयं को फिर इंसान बनना होगा।

चल रे चल विहग

हो गई अन्धेरी रात है

न कोई पहरेदार है

अटल मंजिल अब तेरा नीड़

और वहाँ सूनसान है।

आत्म संस्कार आत्म मर्यादा

बदल दिया तिरस्कार में

करूणा को दबाकर तूने

बदल दिया कुहराम में

आ गया है अन्तिम समय

उड़ना आखिरी आकाश में

चल रे चल विहग

अब नये संसार में।

आन भी खोया तूने

मान भी खोया तूने

अब तू केवल नागवार है।

क्यों झिझक रहा है जाने को

आह्वान है बुलाने को

विहग – वृन्द भरा पड़ा है

मत भर आँख के छोरों को

तू कुछ अदभुत कर सकता था

किन्तु किया साथ नियति का

मलिनता में आकर खत्म किया

तूने अपने रव के रत्न - हिलोरों को।

आये हो तो जाना है

सामर्थ्य से अपने कुछ कर दिखाना है

इसी को कहते हम ईश्वर का का क़लाम है।

जो तुम करने आये थे

वो तुमने किया नहीं

अपने बच्चे के लिए

एक भी दाना चोंच में लिया नहीं

आह्वान है तेरा आखिरी नीड़ से

तुझे अब चलना होगा

सजा मिलेगी वहीं पर

क्योंकि हितकारी कार्य तूने किया नहीं।

होगी ग्लानि स्वयं के जीवन पर

इससे बेहतर तो मौत का ज्वार है

सुन रे विहग यही सृष्टि का विधान है।

जिन्दगी

कहीं धूप है

तो कहीं छाँव रे

जिन्दगी इसी का नाम रे।

कोई यहाँ खुश नहीं है

किसी को सांसारिक दुःख है

किसी को रोगों से दुःख है

सबका अपना अपना काम रे

जिन्दगी इसी का नाम रे।

दौलत चाहिए सबको

शोहरत चाहिए सबको

क्या ले जायेगा इन्हें अपने संग

जब होगी जीवन में शाम रे

जिन्दगी इसी का नाम रे।

हो जीवन भले ही कष्टदायी

आये न हमें कभी रूआयी

हस – हसकर जीवन का

हर लम्हां विताऐं

प्रयास हमारा वही हो

जो मानवता के काम आये

---

(22) महेन्द्र कुमार मध्देशिया

जिन्दगी के दौर में न हों हम नाकाम रे

जिन्दगी इसी का नाम रे।

जो संघर्ष से किया जंग

जो जीवन में नहीं हुआ तंग

वही तो बस एक महान रे

जिन्दगी इसी का नाम रे।

प्यारा तिरंगा

एक नहीं

हर हाथ में हो

अपना प्यारा तिरंगा।

अम्बर तक हो इसका यशगान

दुश्मन भी करें इसका सम्मान

इसमें निहित हो सबका जान

इसका कद्र करना कर्तव्य हमारा

चाहे किसी से भी लेना पड़े पंगा

हर हाथ में हो

अपना प्यारा तिरंगा।

इसके मान – सम्मान में निगमन रहना

इसके सुरक्षा का संकल्प करना

सब कुछ करते हुए भी चुप रहना

इसके छविजाल में है शान हमारा

न होने देंगे इस पर तिमिर का दंगा

हर हाथ में हो

अपना प्यारा तिरंगा।

इसके मनोहरंग रंगों की सन्देशों को

संग इसके आजादी के प्रसार को

(24) महेन्द्र कुमार मध्देशिया

होकर सुस्मित बतायें क्षिति – क्षितिज को

पग पग पर इसका बनें सहारा

भले ही उड़ जाये पतंगा

हर हाथ में हो

अपना प्यारा तिरंगा।

दुर्धर पथ को आसान करें हम

स्वयं से जयादा अनुराग करें हम

निःस्वार्थ इसको सलाम करें हम

इसके लिए हम अदम्य से टकरा जायें

चाहे हो जलधि – तरंगा

हर हाथ में हो

अपना प्यारा तिरंगा।

हमारा पहला जंग

जो धर्म – विवाद

जीवन का लक्ष्य बना रहे हैं

जो जाति – पाति के भेद – भावना को

बढ़ावा दिला रहे हैं

हमारा पहला जंग उनसे होना चाहिए

जो मानवता को मिटा रहे हैं।

क्या करना है

कैसे करना है

अब गदहे भी सबको बता रहे हैं

मुद्दा बना – बनाकर

आपस में हमें लडा रहे हैं

हमारा पहला जंग उनसे होना चाहिए

जो मानवता को मिटा रहे हैं।

कायरता छुपा कर लोंगो से

अपना कीर्ति खुद ही गा रहे हैं

जो घर चला पाते नहीं

वो भी अब शासन चला रहे हैं

हमारा पहला जंग उनसे होना चाहिए

जो मानवता को मिटा रहे हैं।

---

(26) **महेन्द्र कुमार मध्देशिया**

थोड़ी – सी चूक हुई जनता से
करोड़ों का घोटाला कर जा रहे हैं
अपने को होशियार समझ कर
देश का भविष्य विगाड़ रहे हैं
हमारा पहला जंग उनसे होना चाहिए
जो मानवता को मिटा रहे हैं।
भोर हो गई है अब तो जागो
कर लो सारे सपने साकार
मैं रहूँ या न रहूँ
हर बार चुनना अच्छा सरकार
जो जनता की आजादी
और अधिकार के लिए लड़े
उनकी नारों के लिए
तुम्हारे आवाज में हो भार
जनता की आजादी में
अपनी टांगें जो लड़ा रहे हैं
हमारा पहला जंग उनसे होना चाहिए
जो मानवता को मिटा रहे हैं।

पथ अनजान है

पथ अनजान है
जरा सम्भल के पाँव रखना
मिलेंगे सैकड़ों कंटके राह में
उसे हटाते चलना
हो आवश्यक तो वतन के लिए
स्वयं का बलि दे देना
अंधकार को चीड़ते हुए
सूरज के भाँति निकलना।
और अधिक विगाड़ सके
किसी में उतनी साहस नही है
यह गीत नही है मेरे भाई
अपने दिल की दास्ताँ कही है।
मौत से अधिक क्या दे सकता है कोई
जो एकमात्र सही है
जिन्दगी एक जंग है
किसी ने यह बात सच कही है
रणभूमि में आ जाओ तो
न सोचो अंजाम क्या होगा
गौर करना मेरे हर वाक्य पर भाई
जो मैंने अभी कही है।

 महेन्द्र कुमार मध्देशिया

मानव तू रोया न कर

मानव तू रोया न कर

अपने दुःखों को उजागर करके

तू श्रमजीवी है मानव

तू आत्मनिर्भर है

मानव तू रोया न कर

अपने दुःखों को उजागर करके।

किसके सम्मुख तू अपना

आँसू व्यर्थ बहाता है

किसके सम्मुख तू अपना

दुःख की दास्तान सुनाता है

मानव तू स्वावलम्बी है

सब सह ले बीड़ा समझ करके

मानव तू रोया न कर

अपने दुःखों को उजागर करके।

मानव अपनी अहमियत तुझे

शायद पता नही

तू हर अवरूध्द को तोड़ सकता है

क्या यह तू जानता नही

तेरे पूर्वजों ने ही मानव

चन्द्रमा पर पहुँचे पुख्ता विश्वास करके

मानव तू रोया न कर

अपने दुःखों को उजागर करके।

जो हुआ भूल जा मानव

क्यों रोता है इतिहास याद करके

जो हो रहा है उसको देख

मत घबरा भविष्य सोच करके

मानव तू रोया न कर

अपने दुःखों को उजागर करके।

अपराध कहाँ

एक गरीब

जिन्दगी से परेशान होकर

आत्महत्या कर लेता है

एक बेटा माँ – बाप को ठुकराकर

नई दुल्हन सहेज लेता है

चार लोग कहते हैं

उनकी अब जरूरत नहीं

कल को आप भी

आत्महत्या के लिए मजबूर हो सकते हैं

जा सकते हैं

माँ – बाप को भेजा जहाँ

और हम कहते हैं अपराध कहाँ।

आज विवाह

तो होते हैं

किन्तु उसमें बुरी नीति को

कपड़े के भाँति धोते हैं

दहेज – प्रथा का प्रचलन है

जो समाज के लिए खलन है

दहेज मिले भरपूर

तो खुश हो जाते हैं

अन्यथा दुहिता को

जिन्दा जलाते हैं

कल को बेटी होगी

तब भेजोगे कहाँ

और हम कहते हैं अपराध कहाँ।

बेटियाँ सुरक्षित नहीं

क्या समाज

इतना गिर गया है

रावण तो राक्षस था

किन्तु सीता उनके यहाँ सुरक्षित थी

हम तो मनुष्य हैं

क्या हमारा जो महत्व था

वो राक्षसों से अधिक गिर गया है

मुझसे अगर कोई पूछे

तो मैं कहूंगा हाँ

और हम कहते हैं अपराध कहाँ।

जाति - धर्म के नाम पर

शोषण हो रहा है मानवता का

सबके पास है एक ही विकल्प

वो विकल्प समझौता का

अगर सामिल हुए इसमें

तब तो खैर है

अन्यथा वैर शब्द दूर कहाँ

और हम कहते हैं अपराध कहाँ।

कोई अप्सरा आ रही है

अन्धकार बिना मशाल के

कैसे जा रही है

लगता है

कोई अप्सरा आ रही है

लिए मदिरा की गागर

नैनों में है प्रेम सागर

मेरे पास से

वो अब जा रही है

अप्सराएँ भी कहने लगी

कितनी सुन्दर अप्सरा आ रही है

मैं कहता

तो आप विश्वास नहीं करते

थोड़ी - सी तारीफ के लिए

मुझसे लड़ते - झगड़ते

अप्सराओं ने जो कहा -

सुना आप ने

चलो! अब आगे की बात

हमें हैं करते

थोड़ा आगे जाने पर

____

(34) महेन्द्र कुमार मध्देशिया

कोयल की झुण्ड से

उसकी मुलाकात हुई

ओ झुण्ड मेरे ओर

आ रही थी

पास आने पर

कुछ अजीब – सी बात हुई

स्वर के लिए

सिर उठा के चलने वाली

आज सिर नीचे करके

क्या गुनगुना रही हैं

आपस में वो शायद

यही गुनगुना रही हैं

वह अप्सरा

कितनी मधुर गा रही है।

मेरे बगल से

उसके याद से जब बाहर आता हूँ

परिचय करू मैं स्वयं का पल से

गुजर जाती है वो मुस्कुराकर

मेरे बगल से।

याद उसका खुशनुमा है

क्या करूँ याद उसे मैं करता रहता हूँ

कुछ बात भी तो नहीं कर सकता

उसके यादों की झलक से

गुजर जाती है वो मुस्कुराकर

मेरे बगल से।

पीर का पीर है

कितना बहेगा

मासूम ऐ दिल है

कितना सहेगा

जिसने दिया है दिल को दस्तक मेरे

पूछो उस पलक से

गुजर जाती है वो मुस्कुराकर

मेरे बगल से।

शब्द मेरे अटके रहते हैं

उसके यादों की घेरों में
याद करना भी एक मर्ज है
घाव होती जितना गोली दगल से
गुजर जाती है वो मुस्कुराकर
मेरे बगल से।
जब मैं उसे सोचता हूँ
स्वयं से दूर होता हूँ
पलकों की गहराई में
इस कदर चूर होता हूँ
मानों दूर हूँ सृष्टि सकल से
गुजर जाती है वो मुस्कुराकर
मेरे बगल से।
करुणा है उसमें
खुशी है उसमें
सिकायत है तो पल से
गुजर जाती है वो मुस्कुराकर
मेरे बगल से।

मुझे तुम मत मारो

आविष्कार मुझे तुम मत मारो

मैं मानवता हूँ।

बन्धुत्च को मेरे खण्डन कर रहा

तेरे ही छाये में

युध्द का संकेत पल रहा।

बढते हुए तेरे क्षेत्र से

मैं अक्सर घबराता हूँ

आविष्कार मुझे तुम मत मारो

मैं मानवता हूँ।

तुझमें दया – हया कुछ भी नहीं

तेरे प्रकोप से लोग डरते हैं

जो लोग तेरा निर्माण करें

वही लोग तुझसे मरते हैं।

मिटेगी सृष्टि तो तेरे कारण

आज मैं यह कहता हूँ

आविष्कार मुझे तुम मत मारो

मैं मानवता हूँ।

जो आया सो आया

जो नहीं आया सो नहीं आया

रुक जा वहीं अपने पथ पर
मैं फिर से समझाता हूँ
आविष्कार मुझे तुम मत मारो
मैं मानवता हूँ।

समय सूखी रेत है

समय सूखी रेत है

दो पल मुस्कुराओ मुट्ठी में लेकर

दर्द हृदय के बता दो सबको

चन्द गीत गुनगुनाओ मुट्ठी में लेकर।

रेत जब तक मुट्ठी में है

तो मुट्ठी में है

वैसे ऐ किसी के हाथों टिकती नहीं

विधान इसका यही है कि ऐ रुकती नहीं।

मनुष्य जीवन के भ्रम में है

मेरा हृदय आज गम में है

प्रसन्न - चित्त था मतवाला

वो आज स्वप्न में है

तजुर्बे सबके अलग अलग है

मुझमें आज वही जो उलझन में है।

मनुष्य जीवन मृत्यु का खेल है

इसके बीच समय की रेल है

रेत जब मुट्ठी से गिरता है

तब हमें रेत ही रेत दिखता है

समय उसी का स्वरूप है

 महेन्द्र कुमार मध्देशिया

किन्तु ऐ उसे ही दिखता है
जो जीवन में झुकता है।

नया वर्ष

नया वर्ष है

कुछ नया लिखूँ।

परेशानियों को भूल

बातें बे-फजूल

नये लोगों के साथ नई चाह लिखूँ।

जीवन का रंग नया हो

गीत – प्रीत सब नया हो

इस बार हर्षोल्लास का याद लिखूँ।

मंजिल की ओर रहें सब

शुभकामनाएं हैं अब

कठिन पथ का मैं सरल उपाय लिखूँ।

उसका चेहरा

उसका चेहरा, मेरे आँखों की प्यास है

उसकी बातें, मेरे कानों की विश्वास है

है रवि का आलोक व्योम में पर

मुझे चाँदनी मिलन का एहसास है।

उसके आँखों का कज्जल अश्रु

मुझसे देखा नहीं जाता

मेरा उसके लिए तड़पना

नवल रस है बन जाता।

नहीं वो परी आसमां की

पास है उसके छविजाल

तन्वंगी दुग्ध धवल देंह

रेशमी विभा उसकी चाल।

मैं ग्रहण का दिन, तो वो ईद की चाँदनी रात है

मैं बिन मौसम का बादल, तो वो सावन की बरसात है

पतले तन से कपड़े उतर कर उसके

महक को सुधियात है।

उसके संग रहूँ, तो सारी खुशियाँ साथ होती है

वो सुस्मित चेहरा, न कभी उदास होती है।

खुशी के मन में और उसके संग में

न बहुत फर्क होती है
जो न रहूँ उसके संग
तो दिल को हर्ज होती है।
हर कोई जानता है
उसका मेरा साथ है
हमारे बीच न कोई बात उसाँस है
वो पत्थर पर हाथ रखे
तो चलती मलयवात है।

आवाम बनना होगा

अभी मैं आम हूँ

आवाम बनना होगा।

मानवता टूट रही है निरन्तर

इसको सम्भलना होगा।

आवाज मेरा

कौन कहाँ पहुँचायेगा

ऐ मैं नहीं जानता

पर वहाँ पहुँचना चाहिए

जहाँ लोगों में दहशत होगा।

डर कर जीना

मनुष्य का अधिकार नहीं है

नियमों में बंध जाना

मनुष्य का अधिकार नहीं है

हम घिर चुके हैं गौधुर में

न रात न सवेरा होगा

अभी मैं आम हूँ

आवाम बनना होगा।

हर मुख से आवाज आये

आओ एक गुहार लगायें

गुहार इतनी तीव्र हो

हर दिल में घर कर जाये।

क्या बुरा क्या सही

जानते हैं सब

मैं चुप बैठा था

किन्तु चुप न बैठुगाँ अब

मेरा आवाज मानवतावादीयों को सम्भालना होगा

अभी मैं आम हूँ

आवाम बनना होगा।

विराजो मेरे आँगन में

विराजो मेरे आँगन में

हे मृदु वाणी के घनश्याम

मनोहर वस्त्र धारण कर

लेकर मोहनी बांसुरी हाथ

विराजो मेरे आँगन में

हे मृदु वाणी के घनश्याम।

विचित्र लीलाधारी

हे सार्वकालिक भगवान

सर्वान्तर्यामी प्रभु आपको

पुकारूँ लेकर आज नाम

विराजो मेरे आँगन में

हे मृदु वाणी के घनश्याम।

कंदर्प देवता से रमणीय

हे दुःखों के परिहार

लीक के मालिक प्रभु

पधारों मेरे द्वार

हे कीरति कुमारी के स्वामी

हो आपको स्वीकार मेरा प्रणाम

विराजो मेरे आँगन में

हे मृदु वाणी के घनश्याम।

आज जन्म दिवस रावरी

कैसे दूँ बधाई आपको

छोहनि बुलावत 'मध्देशिया'

प्रभु मुकुर दिखाईए हमको

मैं पथ भूल गया हूँ

मंजिल से भी हूँ अनजान

विराजो मेरे आँगन में

हे मृदु वाणी के घनश्याम।

माँ

छन्द लिखूँ

अलंकार लिखूँ

पूरी कविता पहाड़ लिखूँ।

है सारा व्यर्थ लिखा हुआ

जो माँ के पहले

और किसी का नाम लिखूँ।

रेगिस्तान में

रेगिस्तान में
न तो आम उगेगा
न ही अमरूद।
उगेगा सिर्फ और सिर्फ
कांटे।

मौत

मौत का खौफ
किसे नहीं है
मुझे नहीं है
या तुझे नहीं है।
जिन्दगी,
कुछ दिनों की मेहमान है
किन्तु मौत,
अटल सत्य की पहचान है।

इंसान बनें

ईश्वर बनें

न शैतान बनें।

अच्छा होगा कि

हम इंसान बनें।

विश्वास हमारा पक्का हो,

हर जीत पर इरादा सच्चा हो।

लहर बनें

न तूफान बनें।

अच्छा होगा कि

हम इंसान बनें।

पूस का छप्पर जला रहे हैं

पूस का छप्पर जला रहे हैं।

अफवाह झूठी फैला रहे हैं।।

लेना रिश्वत ऐ छोड़े कैसे।

गरीबों को जो मुर्गा बता रहे हैं।।

इज्जत बिका दौलत के चक्कर में।

फिर भी वही सियासत अपना रहे हैं।।

मानवता नाम की इनमें कुछ भी नहीं।

जगह जगह दंगे फसाद करा रहे हैं।।

खुद को उच्च समझकर।

औरों को समझा रहे हैं।।

इंसानियत को नीचे दबाकर।

हैवानियत को पनपा रहे हैं।।

मिटेगा हर कोई जल्द बेवक्त यहाँ।

जो समाज को गर्त में गिरा रहे हैं।।

एक लड़की

मेरे साँसों में एक लड़की बसती है।
जो ख्वाबों में आके हसती है।।
कोई कहता है उसे सदानीरा।
पर मुझे वो व्योम की परी लगती है।।
सुस्मित चेहरा तन्वंगी कमर है उसका।
नैनों से कुछ कहती है।।
नीर भी दुग्ध धवल है बन जाता।
जब उसके तन से गुजरती है।।
शशि के चाँदनी को मैंने देखा।
उसके सामने मिथ्या लगती है।।
है वो मेरी सम्मोहन परी।
जो रेशमी विभा की चाल चलती है।।

पहली आरजू

मेरे सीने में एक दिल है।
जिसकी नवाब तू है।।
दूर होती हो जब तुम इससे।
दर्द में बदल जाते हैं किस्से।।
जिसे दिल बार बार देखे।
वो हसीन ख्वाब तू है।।
तेरे जुल्फो की घटाओं में।
कहीं खो न जाऊँ राहों में।।
मैं तेरे पास आने की कोशिश में।
दूर जाने की कोशिश में तू है।।
खुद को मैंने खुद से तौला।
मेरे दिल ने हसकर ऐ बोला।।
जिसे मांगा था दुआओं में।
वह 'पहली आरजू' तू है।।

मैं हूँ कहाँ

सबको पता है मेरा पता।
किसी से तो पूछो मैं हूँ कहाँ।।
दूर खड़े आशियाने से पूछो।
राह में मिले अनजाने से पूछो।।
मैं रहता वहाँ हूँ।
चलती महफिल है जहाँ।।
दिल में उठते हलचल से पूछो।
आते हुए पल पल से पूछो।।
मैं रहता वहाँ हूँ।
रहती हो तुम जहाँ।।

दीप

तिमिर को उर से हटा दो।

लौ अखण्ड नभ में फैला दो।।

हो रहा मानवता का सत्यानाश।

सुलगे मन में ज्वाला कैसे बुझे प्यास।।

धधक उठो ध्वान्त मिटाने को।

आया समर अब दम दिखाने को।।

कहीं तुम कहानी शेष न रह जाओ।

आओ आकर अपना कर्तव्य निभाओ।।

जिसके छवि से निकले प्रकाश।

वो हो नहीं सकता हताष।।

बढ़ रही है अश्लीलता मानवता सूनापन है।

रो रहा अन्धकार में आज विश्व – जन है।।

मैं नहीं चाहता अश्लीलता बनी रहे।

बता दो उसे जहाँ थी वह वहीं रहे।।

मानवता की लौ जले एक बार फिर से।

सृष्टि का निर्माण हो पुनः नये सिर से।।

उजाड़ रहे हैं घर अहंकार – अत्याचार।

निर्झर बहाओ तुम प्रकाश रूपी प्यार।।

मधुमय उल्लास हो सबके हृदय में अनजान।

गलत - सही पशु - पक्षी भी कर सकें पहचान।।

जलता है तू उत्साह दिखे गगन में।

एक जलता मन है आग लगा दे सदन में।।

हैवानियत - अन्धकार छवि सर्वनाश का घर।

व्यर्थ बना जीवन मानवता का नश्वर।।

पुण्य दीप प्रकाशित हो प्रकाशमय हो नभ सारा।

मँझधार में फसी है नाव दे अमरत्व किनारा।।

मानवता की नाव मात्र एक विशेष अकेला।

पहुँचा दे तट पर उसे हसे न द्वेष मेला।।

यह सृष्टि उपवन है एक फुलवारी।

माली हो तुम इसके रक्षक भी अधिकारी।।

नभ में हैवानियत - अन्धकार का है तपना।

किरण विखेरो हे दीप! अब तुम अपना।।

मिटाकर तिमिर पृथ्वी का श्रृंगार बनों।

मँझधार में फसी नाव का निज पतवार बनों।।

जीवन का नया रूप मनुज को दो उपहार।

हे दीप! जलो तुम फिर एक बार।।

मिटाओ आज हैवानियत- अश्लीलता के तिमिर पसार को।

विचरण करो तुम अभी व्योम - विहार को।।

जब दिन ढ़लता है

पतंगों का चित्कार

निशा की पुकार

एक साथ गूँजती है

सुघर की पायल झंकार

कुछ न दिखाई पड़ता है

जब दिन ढ़लता है।

मनुष्य की आवाज सूनसान

कौन गाये निशा गान

बाग – बगीचा गूँज उठा है

किन्तु जन्तु है अनजान

निशाचर भूखा लगता है

जब दिन ढ़लता है।

है घना अन्धकार

हो रही है पवन चार

निशा आ रही है ओढ़े

अपना कर्तव्य भार

क्षण – क्षण क्षीण लगता है

जब दिन ढ़लता है।

निशा की चादर तले

सो रहा मानव संसार

कौन उठायेगा भला

मनुष्यता का दायित्व भार

कोई नहीं दुःख का सहचर लगता है

जब दिन ढलता है।

मुसाफिर चल

चल चल चल चल

मुसाफिर चल

जीवन घिरा है घेरों में

भीड़ लगी है मेलों में

कौन कहाँ कैसा मत देख

वहीं मिलेगा मुश्किल का हल।

कुछ समझ नहीं पायेगा

जब तक भीड़ में नहीं आयेगा

कोई सिध्द महारथ क्यों न हो

अन्त में यही नीति अपनायेगा

व्यर्थ में क्यों गवाँता है पल।

जीते तो सभी हैं

पीर का पीर पीते तो सभी हैं

पर तू कुछ अलग ही कर।

नव दिवस का नवप्रभात हो

मन तेरा न उदास हो

कहने को तो ऐ संसार है

पर है बीतता हुआ कल।

पदचिह्न मत ढूँढ़ना कभी

पथ कठिन है, मत बोलना कभी

यहीं छुपा है सब हल।

जो चलता रहेगा

ऐ जरूरी है कि वो बढ़ता रहेगा

मिटेगा वही यहाँ

जो सोचेगा कल।

मंजिल की ओर चलें

हमें चलना है वेशूमार
मंजिल की ओर चलें।
जो भटक गया रास्ते से यहाँ अपने
रह जाएंगे उसके अधूरे सपने
सपनों को हकीकत की ओर लाइए
जिससे अपनी नई पहचान बनें।
हमें चलना है वेशूमार
मंजिल की ओर चलें।
है अन्धेरा घना इसलिए हमें
रोशनी नई फैलानी चाहिए
तिमिर को मिटाकर हर हृदय से
मानवता की ज्योति जलानी चाहिए।
हमें चलना है वेशूमार
मंजिल की ओर चलें।

दुःख के बादल

दुःख के बादल हैं सब

एक दिन छँट जायेंगे

घना जितना अन्धेरा है

प्रभात उतना उजियारा लायेंगें।

थककर टूटे न यह संघर्ष

आशा की लौ रहे मन में जलती

निज अहंकार त्याग दो अब

जिसमें अश्लीलता है फलती।

डगर कठिन है हम जानते हैं

किन्तु कोई चारा नहीं केवल पथ – साज

अभी हम गुजरे थे कल हम से

और हम तक ही पहुँचे हैं आज।

जागरण दो व्योम – मण्डल को

पीछे मुड़ना हमारी व्यथा नहीं

चुप हैं तो केवल लक्ष्य साधेंगे

अन्यथा मौन रहना हमारी कथा नहीं।

पथ है चलने के लिए

जायेगी मंजिल के पास

कठिन भी सरल हो जाता है जब

मन में हो आत्मविश्वास।

कोयल

मैंने तज दिए गान कोयल अब

मात्र तुमसे मेरा स्वर गुंजित है

मुझ पर कर इतना भार

बता दे चैन मेरा कहाँ संचित है।

त्याग दिया जब स्वर को मैंने

मुझमें कम्पन होता क्यों सुर का तार

स्वयं से दूर मैं रहूँ जब

सुनाई देता क्यों वीणा की झंकार।

किस ठौर पहुँचा हूँ न पता

स्वर से होता किन्तु पीड़ा अपार

गीत जो मैं लिखता – गाता था

कौन कर रहा आज व्यक्त अभार।

गाने को कहता मन मुझे

हर गीत मेरा निखरता है

चैन के द्वन्द को छोड़कर

मन गीत – सृष्टि में विचरता है।

आज पहाड़ टूट गया

आज पहाड़ टूट गया
खुद ही खुद से टकराकर
क्योंकि उसे अहंकार था
अपने ताकत वेशूमार पर।
अंग सारे चूर होकर
करूणा से दूर होकर
सिमट गये समय की चादर पर
अहंकार ने खाया उसे
नेकी के बादल पर।

न आऊँगा मैं अब तुमको बुलाने

न आऊँगा मैं अब तुमको बुलाने

गीत मेरे तुम्हें खींच लायेंगे

पौधे जो सूख रहे हैं तुम्हारे कारण

बादलों से कह दिया है सींच जायेंगे

तुम्हारा जीवन मधुमय हो

पल – प्रतिपल सुन्दर निर्भय हो

नव गीत लिखा तुम्हें बुलाने को

तुम न आवोगे कहीं लोग खीझ जायेंगे।

मैं कल तक मुक्त था

दिल हर पल तुम्हारे ओर चला

आज बन्धन में बंध गया है

पर तुम्हें भूल सकता है क्या भला

प्रयत्न है गीत तुम्हारे तक पहुँचेंगे

मोहलत मिली आने को भी सोचेंगे

नहीं कुछ गीत में झूठा लिखा

दिल हर दिन तिल – तिल मेरा जला।

गीत मेरा सम्मान है

जायेगा बुलाने जब ढ़लती सूरज – लाली हो

प्रेम की पीड़ा उससे न कहना

प्राण प्रिये तुम मधुमास वाली हो

मेरा ही गीत मेरा हर राज खोलता

जैसे जल में पतवार से नौका डोलता

कुछ भी कहे वो सुनते रहना

तुम कवि – हृदय की आली हो।

पतझड़ में बुझ जाते हैं दीप

ऐसा नहीं है मेरा प्यार सखे

हर ऋतु को वसंत बना देता

कवि का है यह उपहार सखे

अटके पलकें जब छवि तुम्हारा सामने आता है

विरान पड़े इस दिल में मानों कबीर गीत गाता है

मैं क्षण भर रह नहीं सकता तुमसे अनजान सखे

गीत में ही छुपा दिया अपना तुमसे पहचान सूख!

भारत माँ के जाये जब सरहद पर पहरा देते हैं

हसकर शूल फूल बन जाये

पाषाण रुके न धूल बन जाये

अरमानों की बात बस्ती में देखो

तो इनका विषय मूल बन जाये

वतन की सुरक्षा में शत्रु का दाल न गलने देते हैं

भारत माँ के जाये जब सरहद पर पहरा देते हैं।

निर्भय मौत से नहीं डरते

डरते न अभिमानी से

ललकार से काँपते शत्रु

पूछो उनकी कहानी से

अंधियारा आये उससे पहले रोशनी जला लेते हैं

भारत माँ के जाये जब सरहद पर पहरा देते हैं।

कठिन है डगर मगर वीर मुस्काते चलें

असंभव को संभव वीर बनाते चलें

है उनका देश, देश के लिए वो हैं

बढ़ चलो चलते रहो वीर जवान चलाते चलें

दिखावे की देश भक्ति से परे होते हैं

भारत माँ के जाये जब सरहद पर पहरा देते हैं।

दो गज जमीन मिले न मिले हमको

जीवन की प्यास बुझनी चाहिए

जिस पथ से शहीद का शव जाये

उस पथ पर आँसू गिरनी चाहिए

हिफाजत में हमारे स्वयं को लहू से भेते हैं

भारत माँ के जाये जब सरहद पर पहरा देते हैं।

शान्ति – ध्वज

अंधेरा निकट आ रहा है पल दो पल

शान्ति को खा रहा है पल दो पल

सम्भलों विश्व के वीर जवानों

माँ धरती के सपूत मस्तानों

अन्तिम विकल्प नहीं है संग्राम

क्योंकि इसका है बुरा परिणाम।

भगवान मैं हूँ न आप हैं

हम तो केवल जल के भाँप हैं

युध्द में तो वीर जीतता है

जो कलेंजो को चीरता है

क्या फायदा है ऐसे युध्द का

कोई कारण प्राण से बड़ा नहीं शत्रु विरुध्द का।

छायेगा एक दिन सहसा अंधेरा

जो माने नहीं बात यह मेरा

युध्द का नियम अहंकार से शुरू होता है

हम जानते हैं अहंकार का अंत जरूर होता है

क्या फायदा है ऐसे अहंकार का

जो द्वार खोले स्वयं के अपमान का।

यह बन्धु वध का केवल युध्द नहीं है

इसमें मानवता पतन हो रही है

युध्द को जब तक हो अन्त तक टालो

गिरो फिर भी गिर कर सम्भालो

शान्ति – ध्वज लहरायेगा तब

मानवता होगी हममें जब।

जीवन है एक रंग प्यारे

गिरगिट जैसे रंग बदलता है

रंग जैसे चटकार झलकता है

दुःख – सुख वैसे ही विन्दु हमारे

जीवन है एक रंग, प्यारे!

सुख हमारी सफलता है

दुःख हमारी मार्गदर्शक और विफलता है

दोनों को बुलाओ अपने मुहारे

जीवन है एक रंग, प्यारे!

जो दुःख से घबराता है

वो सुख का आनन्द कहाँ पाता है

बदलने को हम आज बदलेंगे, किन्तु बदलेगा कल हमारे

जीवन है एक रंग, प्यारे!

उत्सुक हूँ मैं यह जानने को

धर्म की रक्षा में लोग

मानवता का करते हैं भोग

मुझे बता दो कौन धर्म मानवता से बड़ा है

उत्सुक हूँ मैं यह जानने को।

छोटा - बड़ा न कोई जन है

सच्चा अपना मन है

किसने कहा! मेरा धर्म सोना खरा है

उत्सुक हूँ मैं यह जानने को।

धर्म अच्छा वही यहाँ

खुश रहे सब जहाँ

बुरा जिसको लगा, बताओ वो कौन है

उत्सुक हूँ मैं यह जानने को।

निश्चित है धर्म की रास्ता

अनिश्चित है मानव की मानवता

बात यह बे-फिजूल है, कहने वाला कौन है

उत्सुक हूँ मैं यह जानने को।

 महेन्द्र कुमार मध्देशिया

मुक्त कर दो

नव रश्मियों को
मुक्त कर दो
जो आसमां को मंजिल माने
उड़ने का जिद ठाना हो।
जाने दो उसे जो सूर हो
जाने दो उसे जो वेकसूर हो
जाने दो उसे जिसका लक्ष्य
शांति – दीप जलाना हो।
भविष्य का आधार है वो
निकलता सूरज लाल है वो
मत रोको उसे अंधकार में
जाने दो जहाँ तक जाना हो।
पर्वत को झुकायेगा
मात नहीं खायेगा
औरों को देख मत रोको उसे
शायद उसका अटल निशाना हो।

अच्छा है

अच्छा है

जीवन का यह पल

पता न चले कब आज हुआ है कब कल।

अच्छा है

तेरा – मेरा संग

जीवन में भरे जो नई रंग।

कहीं ऐ पल

बीत न जाये

संग तेरा रीत न जाये।

वर्षों से

मुझमें होती है

बस यही एक हलचल।

अच्छा है

जीवन का यह पल।

ऊब गया हूँ

हैवानियत के जग में

इंसानियत का क्या मोल

दोनों को इस कारण

भूल गया हूँ

कोई मुझे

पीने वालों का पता बताऐ

मैं जीवन से

ऊब गया हूँ।

करुणा थी जहाँ

वहाँ आज अहंकार है

प्रेम का अर्थ

आज श्राप है

कैसे जीऊँ इस जग में

जिन्दगी से ही जूझ गया हूँ

कोई मुझे

पीने वालों का पता बताऐ

मैं जीवन से

ऊँब गया हूँ।

ऐ दुनियां है केवल

अहंकार से जीने वालों की

मस्त दुनियां वही है

मौज से पीने वालों की

मुझे वहां पहुँचा दे मुसाफिर

जहाँ मैं जाने से रूक गया हूँ

कोई मुझे

पीने वालों का पता बताये

मैं जीवन से

ऊँब गया हूँ।

आवाज तुम्हारी

पग – पग आगे

मतवाला हुआ चलता हूँ

फिर अचानक

मुझे रूकना पड़ता है

लगता है

चुप हो गई है सृष्टि सारी

बस एक ही आवाज

सुन पाता हूँ

वो आवाज तुम्हारी।

पीछे मुड़कर

बार – बार देखता हूँ

मगर कुछ नहीं

ख्वाब हो गया है

अब तो साथ तुम्हारी

सुनने को वेचैन रहता हूँ

वो आवाज तुम्हारी।

हम निशान खोजते रहे

जड़े हिल गयीं
पत्ते झड़ गये
खाल छूट गयी
बृक्ष की नहीं
मानवता की
और हम निशान खोजते रहे।

महोदय

महोदय!

आप हमारे हैं

बाहर निकलना

तो जरा सम्भल के

क्योंकि लोग

आज पैर पसारे हैं।

वे लोग नहीं

जीते जो अपनी मस्ती में

वे लोग केवल शेष हैं

आग लगाते जो बस्ती में।

सबके हाथ में

शासक होने का हथियार है

जुल्म करना

जुल्म फैलाना

इनका रोज का व्यापार है।

पेशा इनके भी

अलग – अलग हैं

किसी का कत्ल करना

किसी का लूटपाट

और तो और
किसी का पेशा है बलात्कार।
न्याय मंदिर
थक रही हैं
अपराध इतने सारे हैं
आवश्यकता न पड़ जाए
न्याय मंदिर की
समझा रहा हूँ
महोदय!
आप हमारे हैं।

स्वप्न लोक की अप्सरा

स्वप्न लोक की अप्सरा

उतरो तुम

नीले आसमान से

पद् के पायल खनकाकर

गीत गुनगुनाओ तुम

मृदु जुबान से।

मधुर – मधुर हैं होंठ तुम्हारे

नेत्र नैना से प्यारी हैं

मानों घना बादल हो सिर पर

केस तुम्हारी इतना भारी है।

नासिका चेहरे पर शोभायमान

ताका – ताकि

अभी गर्म है

हसकर पागल दिल कह न बैठे कहीं

यह तो

यौवन का भ्रम है।

स्वप्न धीरे – धीरे जब मिटा

दिल पर लेख गई तुम हाथ अनजान

विरह रोग से पीड़ित करके

दे गई तुम मुझको अपनी पहचान।

विरह – वेदना असहनीय है तुम्हारा

मिलना है

इस दिल को तुम्हारे उर से

जिस रूप में तुम कल आई थी

स्वप्न लोक की अप्सरा

आना एक बार फिर से।

मैंने कुछ माँगा

मैंने कुछ माँगा

लोग फकीर समझ बैठें

खुद को यातनाएँ दी

जीवन में गहराई लाने के लिए

लोग तकदीर समझ बैठें।

तुमने भी

जो रोशनी दिया मुझे कल

उससे गया अंधेरा

मात्र कुछ पल।

तुम थे

सहारा था

जीवन में कोई हमारा था।

पर सत्य है

मैं फकीर था और हूँ भी

तुम्हारे प्यार का

तुम्हारे एहसास का

तुम्हारे धड़कन का।

मैं पागल डरता हूँ

वक्त ने मुझे जो राह दी

मैं अक्सर उसी पर चलता हूँ

कहीं भटक न जाऊँ पथ से

चलते - चलते

मैं पागल डरता हूँ।

जिस डर को

लोग जेब में रखते हैं

जिस डर से

लोग अनदेखा करते हैं

मैं उसका भार सिर पर

भले ही न उठा पाऊँ

किन्तु साथ लिए चलता हूँ

मैं पागल डरता हूँ।

मेरे पथ पर साथ जो चलता है

मानवता है

मानवता है

उनके भाँति

मैं इसे नहीं छोडना चाहता

जिनका मार्ग कुमार्ग है

जिनके कर्म से मैं जलता हूँ

मैं पागल डरता हूँ।

डरना मेरा जायज है

क्योंकि दुःख ने कहा

मैं सत्य पथ पर खड़ा रहता हूँ

मैं पागल डरता हूँ।

नदी में रेत था

नदी में रेत था

खिसकता गया

कुछ को आज

कुछ को कल

लहर वजन के अनुसार

ढ़केलता गया।

और हम हैं

जिद ठाने हैं न जाने की

किन्तु आह्वान आयेगा

एक दिन हमें बुलाने की

हम वेवश – लाचार

पड़े रहेंगे

मौत से कुछ मोहलत की

दुआ करेंगे।

किन्तु क्या समझाऊँ मैं

जानते हैं सब

सच कड़वा है

मानते हैं केब।

रेत और मनुष्य में

बस इतना फर्क है

हांलाकि यह मेरा अपना तर्क है

रेत मिलता है अन्ततः समन्दर में

मनुष्य मिलता है अन्ततः मिट्टी में।

बाँधा गया हूँ

बाँधा गया हूँ

मगर मैं बन्दी नहीं हूँ

जिस श्रृंखलाओं ने मुझे जकड़ा है

मानवता की वेडियाँ हैं

और इसमें बँधे रहना

मैं जीवन भर चाहता हूँ।

क्योंकि

निद्रा से उठाती है ऐ

विश्व बन्धुत्च सिखाती है ऐ

मलिन मन को साफ कर

क्रूरता को दाबकर

नई पहचान बनाती है ऐ।

किन्तु क्या केवल

मैं ही बँधना चाहता हूँ

या कोई और है

नाद मानवता की बजनी चाहिए

और बजाने का भी दौर है।

 महेन्द्र कुमार मध्देशिया

बढ़ रही है अश्लीलता

बढ़ रही है अश्लीलता

इस अश्लीलता को मिटाने का समय है।

भेदभाव छोड़ कर

मानवता का नई पहचान बनाने का समय है।

एक भी मुख बन्द न रहे

मानवता के उत्थान के लिए।

हो भ्रष्टाचार मुक्त जग सारा

यही एक आवाज उठाने का समय है।

जीवन जीने का तरीका

एकता से रहने का सलीका।

हर मानव के हृदय में

मानवता जगाने का समय है।

भ्रष्टाचार और आतंकवाद को

जड़ से मिटाना है अब।

यह आवाज हर मुख से

एक साथ निकालने का समय है।

निर्दोषों को अब हम

कठपुतली न देने देंगे।

बने विश्व गुरू देश हमारा

कुछ अदभुत रच दिखलाने का समय है।

बढ़ रही है अश्लीलता

इस अश्लीलता को मिटाने का समय है।

भेदभाव छोड़ कर

मानवता का नई पहचान बनाने का समय है।

आज हमारे खेत में

विगत कई वर्षों के बाद

हुआ है मेरा हृदय आबाद।

हर बार वरसा होती थी रेत में

बादल ने वरसा आज हमारे खेत में।

न सरोवर, न नहर की नाली दुःखी है

न ही फसलों की चमकती बाली दुःखी है।

दिया खुशी उसने आज हमें भेंट में

बादल ने वरसा आज हमारे खेत में।

अब फसल लहरायेंगे चारो ओर

हुई है वरसा आज झकझोर।

न जाने क्या छिपा है इस भेद में

बादल ने वरसा आज हमारे खेत में।

कोयल ने आज मीठे गीत गाये हैं

यह सुनकर कौवे सरमायें हैं।

शुभ का सन्देशा देते ऐ संकेत में

बादल ने वरसा आज हमारे खेत में।

हंस मोर चातक गौरैया ने नृत्य किये आज

उन्हें देख अन्य विहग भी किये शुरुआत।

हर कोई लगा खुशी के समेट में

बादल ने वरसा आज हमारे खेत में।

सागर में डूबा चंदा तीरे

सागर में डूबा चंदा तीरे

जीवन की शीतलता लेकर

अन्धकार घना सबको देकर

चाँदनी का मिटा दिया नार्मोंनिशान सारे

सागर में डूबा चंदा तीरे।

कब उजाला होगा

मानव मतवाला होगा

हम बैठे हैं कलम सवारें

सागर में डूबा चंदा तीरे।

पक्षियों की आवाज आये

नई सुबह मन भाये

हो खुशी चारो ओर प्यारे

सागर में डूबा चंदा तीरे।

कल की सुबह दर्दनाक न हो

मानवता का सत्यानाश न हो

कल बचेगा आज से बन्धु हमारे

सागर में डूबा चंदा तीरे।

---

(94) महेन्द्र कुमार मध्देशिया

आया मन में जो वही गाते रहे

आया मन में जो वही गाते रहे

मैं पास आता रहा तुम दूर जाते रहे।

कहाँ रहते हो प्रभु मुझे बतला दो

थोड़ी कृपा हम पर भी बरसा दो

है आज मेरा गीत – संचार रुका

बरसा दो प्रभु गीत – सुधा बरसा दो

हो नाथ अग्यात मैं भी हूँ अनजान

आओ आपस में पहचान बनाते रहे।

रूठे हैं नाथ मैं कह नहीं सकता

सोच ऐ बातें नैन आँसू बरसता

गम्भीर से गम्भीर धारा समाँ जाये मुझमें

दो नाथ मुझे एक ऐसी चंचलता

उन्माद प्रेम का है मुझको चढा

क्यों नाथ मुझे आप भरमाते रहे।

तुम जो कह न सके हस के

तुम जो कह न सके हस के
बात वो अधूरी रह गई फस के।

हो गए कब तुमसे दूर हम

इस बात से रहा सच अनजान

आना जब भी बता के आना

बस है एक यही अरमान

देखता पथ हूँ मैं तेरा प्रियवर

आँखे रह गई मेरी तरस के।

मुझे मिला यह घना तिमिर

प्रकाश बताओ मैं कहाँ से लाऊँ

जो तुम एक बार आ जाओ

चाँद – तारे भी तोड़ लाऊँ

अमर विभा को उतारूँ आँगन में

किस्से खत्म हों बहस के।

आज धड़कन फिर क्यों मौन है

आज धड़कन फिर क्यों मौन है

आखिर दिल में छुपा कौन है।

लहर – लहर रोपाते हैं फसल

गीत सखियों के मुख से निकलती हैं

सावन की बूँदे रिमझिम आये

आसमाँ से मानो अप्सरा उतरती हैं

अभिलाषा जगती है रुक – रुककर

चलती जब दिवानी पवन है।

मधुर – मधुर उसके अधर

आँखों में प्रेम – फुलवारी है

सब अप्सराओं की महारानी

कवि – हृदय की प्यारी है

उसका गीत मुझको है भाता

जिसके स्वर में प्रेम – उन्मन है।

मैं सफर का हूँ एक भौंरा

मैं सफर का हूँ एक भौंरा

तू जूही की एक कली है।

चार पग जो तुझसे आगे जाऊँ मैं

दिल में हलचल- सी होती है

खुद को सम्भालूँ मैं कैसे

तेरी आँखों में मेरा आँसू रोती है

न मिलो तुम जो मुझसे सफर में

दिल में मचती क्यों खलबली है।

तेरी जुल्फों की घटाओं से

जाना है तेरे दिल तक

रास्ता भटक न जाऊँ कहीं

इसलिए चला न अभी तक

ठहरो, मैं अभी आता हूँ प्रिये

मिलना तुम जहाँ फूलों की गली है।